그대 뿌려준 꽃잎을 따라

《일러두기》

1. 작가 특유의 문체를 지키기 위한 비문이 포함되어 있습니다.
2. 특정 장소나 인물 등의 지칭은 프라이버시 보호를 위해 변경되었습니다.

그대 뿌려준 꽃잎을 따라

지은이   한사랑

발 행   2023년 12월 20일
펴낸이   한건희
펴낸곳   주식회사 부크크
출판사등록   2014.07.15.(제2014-16호)
주 소   서울특별시 금천구 가산디지털1로 119 SK트윈타워 A동 305호
전 화   1670-8316
이메일   info@bookk.co.kr

ISBN   979-11-410-6103-6

* 이 책은 네이버에서 제공한 나눔 글꼴이 적용되어 있습니다.

www.bookk.co.kr

그대 뿌려준 꽃잎을 따라

빛의책 시리즈 1 - 묵상 시·산문집

한사랑 지음

BOOKK

헌사

+

성부 성자 성령의 삼위일체 하느님과

나를 사랑해 준 모든 천상 식구,

그리고 늘 사랑을 사모할 모든 날의 나에게

차례

머리말

머리말

이 글을 '자라버린 나'에게 바칩니다.

평범한 일상을 보내던 중, 어느 연도를 기점으로 이전의 나와 달라졌다는 것을 깨달아 버린 때가 있습니다. 어떤 시간과 공간의 경계선 하나를 건너간 느낌이었습니다. 그 기점을 넘은 곳에 '자라버린 나'가 있었습니다. 담담하게 받아들이는 와중에 어쩌면 일말의 씁쓸함을 느꼈던 것도 같습니다.

수년 전 그는 아기 예수와 성면의 데레사 성녀가 이끌어주는 길을 차츰 알아가며 사랑에 겨워 뛰던 한 아이였습니다(청년이라 할 나이 때긴 하지만 젊음의 새싹 같은 파릇함이 살아있던 때이기에 아이라고 해보렵니다

^^). 아이는 자신에게, 혹은 주님께, 혹은 누군가에게 말하듯이 거침없이 자신의 이야기를 기록했습니다. 유치함, 즐거움, 사랑, 슬픔, 다짐, 괴로움, 고민 모두…. 덕분에 이 한 영혼에 베풀어주신 우리 사랑스러운 조물주의 인자한 사랑의 증거들 또한 그 이야기들 속에 형태를 갖춘 채 남아 있게 되었습니다. 그리고 저는 그 이야기들을 모아 '자라버린 나'에게 건네기로 하였습니다.

이 책을 가장 먼저 저 자신을 위해 썼다는 점에서 독자분들께 사과드립니다. 하지만 거기에는 사정이 있습니다. 작가 생텍쥐페리가 『어린 왕자』 이야기를 '어른' 레옹 베르트에게 바친 것과 비슷한 이유입니다.

첫 번째로는, 당연하겠지만, '자라버린 나'가 이 책을 가장 잘 이해해주는 사람이기 때문입니다. 그는 잘려나간 행간 사이에 어떤 일이 있었는지를 알고 있고, 또 함축된 시처럼 단편적인 이 글들이 쓰이게 된 그 배경과 사건들을 기억합니다. 이 어른은 가장 오해 없이 이 글을 읽어주는 유일한 사람입니다.

두 번째로, 이 어른은 계속해서 빛이 필요하기 때문입니다. 세월은 많은 것을 잊게 하여, 그는 이제 어렸을 적을 기억하지 못하는 어른이 될까 봐 두려움에 떨고 있습니다, 그래서 그가 찬란했던 어린 날의 은총들을 되새기며 감사하고, 또 사랑받았다는 사실을 기억하며 위로를 받게 할 필요가 있습니다.

그러나 이 책을 독자분들께도 전해지도록 펴내게 된 이유 또한 있습니다. 성경의 성 라파엘 대천사의 말씀이 제 마음을 두드렸기 때문입니다.

"그분께서는 그대들에게 은혜를 베푸셨습니다. 그대들은 하늘의 하느님을 찬송하며, 살아 있는 모든 이 앞에서 그분께 영광을 돌리십시오. 왕의 비밀을 숨기는 것은 선하나, 하느님의 일을 드러내고 고백하는 것은 영광이기 때문입니다(토빗기 12:6-7)."[1]

진심 어린 가슴으로 하느님을 생각하고, 하느님을 사랑하며, 하느님과 함께 산 그날의 기록들은 아무리 어리석은 이야기라 하더라도 사랑과 빛을 담고 있음을 발견했습니다. 그래서 하느님의 영광을 위하는 마음으로, 또 그분이 사랑받았음을 알리고 또 사랑받으시길 바라

---

1) "Bless ye the God of heaven, give glory to him in the sight of all that live, because he hath shewn his mercy to you. For it is good to hide the secret of a king: but honourable to reveal and confess the works of God."(Tobit 12:6-7). 두에-랭스 성경(Douay -Rheims Bible) 버전 번역

11

는 마음으로 이 글들을 엮어냅니다.

본래는 『빛의 책』이라는 제목의 한 권의 책으로 출간할 예정이었던 것을, 목차의 수를 고려하여 총 세 권으로 나누게 되었습니다. 그리고 이 책 『그대 뿌려준 꽃잎을 따라』는 그 시리즈 중 첫 번째 책입니다.

3부 중 제1부는 시, 동화처럼 짧은 이야기, 그리고 일기 같은 비교적 다양한 형식의 글들로 이루어져 있습니다. 그리고 2부와 3부는 외국에서 생활할 때 남긴 기록으로, 1부와는 분위기가 사뭇 다를 수 있음을 참고삼아 알려드립니다. 대부분 일상 속의 묵상과 관련된 산문이 주를 이루고 있습니다(중간중간 제목이 없이 붙어 있는 짧은 조각글들도 있습니다).

사랑에 겨운 젊은이는 헛소리도 곧잘 하는 법입니다.
처음부터 다른 누군가를 생각하며 쓴 기록이 아닌 만큼, 솔직하고 날 것 같은 표현들이 있음을 말씀드려야겠습니다. 책으로 펴내며 다듬기는 했지만, 그때만의 목소리를 훼손시키지 않기 위해 부득이하게 남겨둔 부분들이 있습니다. 여러 곳이 있으나 한 가지 예를 들면, (후속권들 중) 우리의 구세주이신 그분을 나의 가장 절친한 친구 대하듯, 동갑내기 친구에게 말을 걸듯 부르는 부분들 같은 것입니다(노파심이지만, 닮지 않으시기를 바랍니다. 저는 높으신 분께 예의 바르게 행하고 말을 높이는 것이 가장 올바른 것이라고 진심으로 생각합니다).

이 책은 성인전이나 교회박사들의 저서 같은 것이 아닌, 그저 한 부족한 영혼의 신앙 시·산문집일 뿐이지만 (시의 비중이 작긴 합니다만^^;), 만에 하나 이 글이 하느님의 뜻 안에서 누군가에게 신적 사랑과 형제적 사랑의 도구로서 읽혀진다면, 그것 역시 저에겐 감사한 일일 것입니다.

여러 작가님들께 공통적으로 들었던, 인상 깊은 말을 마지막으로 옮겨 적으며 마칩니다.

'자신을 위해 책을 써라. 하지만 세상 어딘가에는 너와 닮은 사람이 있고, 그들은 도움을 받을 것이다.'

2023년 12월 8일
원죄없이 잉태되신 성모 축일 날
아기 예수님의 성탄을 기다리며
한사랑

제1부

한 발, 한 발, 첫 발

무제

이 세상에서의 당신의 삶도
고통이었습니까?
하지만 당신께서는 고통마저도
영광으로 돌리셨지요.

세상은 참 놀랍습니다.
매일 아침 새로운 세계가 시작되고
하늘은 푸르며
파아란 바람이 붑니다.

손에 만져질 수 있는 모든 것은
경이를 불러일으키고
우리의 작은 세계에 깨달음을 주는
'가능성'이 하늘을 스쳐갑니다.

모든 것들이 다시 새롭게,
그렇게 나아갑니다.
찰나에서 영원에로.

최초의 기억, 그리움

발걸음을 멈춰 세웠을 때
문득
그리움에
쉴 새 없이 눈물이 흐르는
그런 곳에 가고 싶다.
어릴 적 굴러간
공이 보여준
그 작았던 구멍 속 세계처럼.
그 구멍 속에서
불어오던
서늘했던 바람 내음처럼.

그 건너편
어쩌면 환상이었을
발소리
가슴 속 조그마한
그리움을 떨었던
그 발소리를 듣고 싶다.

  그것이 최초의 기억인지는 모르겠다. 하지만 '최초의 기억'
이라는 단어를 보고 문득 떠오른 장면은 이것이었다.

어릴 적 내가 다니던 유치원 어느 구석의 벽 아래에는 구멍이 하나 있었다. 나는 유치원에 있던 볼풀에서 빠져나간 공을 쫓다 그것을 발견했다. 공은 신기하게도 자기 몸 하나 겨우 빠져나갈 수 있을 정도의 크기였던 그 구멍을 통과해 밖으로 나가버렸고 나는 내 손아귀를 벗어나 버린 공에는 빠르게 흥미를 잃었다. 대신 혼자만 이질적인 그 구멍을 관찰하기 위해 몸을 거북이처럼 숙였다.

바로 그때 나는 구멍 속에서 불어오는 바람과 마주했다. 맑은 쌀쌀함을 머금은 바람. 또는 왠지 눈물이 날 것만 같이 시린 바람.

그때는 그 감정이 무엇인지 알지 못했지만, 그것은, 그래, 그리움이었다.

세상에 산 지 얼마 되지도 않은 어린 여자애가 겨우 바람이 가져온 서늘한 향기 하나에 그리움으로 몸을 떨었다는 것이 지금 생각해봐도 참 묘하지만, 그 감정은 지금까지도 강하고 선명하게 기억 속에 자리하고 있다.

나는 몸을 숙인 채로 그렇게 한참을 가만히 있었던 것 같다. 몸이 커져 버린 앨리스가 통과할 수 없는 문을 앞에 두고 애달아하는 것 같은 모습으로. 구멍 속에서 나는 아무 데

나 드러누운 햇살도 보았던 것 같다. 하랑하랑 피어오르는 대지의 아지랑이, 그 그림자도 보았던 것 같다. 그리고 누군가의 발소리. 마치 내가 태어나기 전부터 그리워하던 누군가의 발소리도 들었던 것 같다.

　나는 언제나 무언가를 그리워했다. 그 무엇이 무엇인지 알 수 없었지만, 최초의 기억으로 떠올랐던 저 때의 이야기처럼 나는 아주 어릴 때부터 그리움을 느꼈다. 내가 원래 있던 곳은 이곳이 아니라고, 세상의 저편 어딘가에는 내가 원래 있었던 곳이 있을 거라고, 그곳에서 나는 누군가와 분명 함께 있었던 것이라고 여겼다.

　나이를 먹고 더 자라도 그리움은 늘 가슴 한편에 자리하고 있어, 동글동글 연꽃잎 같은 구름들을 볼 때, 손을 뻗으면 구멍이 뚫릴 듯이 푸른 아침을 맞이할 때, 찬연한 초목들의 교향곡을 들을 때면, 또다시 자신의 향기를 뿜어대곤 했다. 그럴 때면 나는 가만히 멈추어 서서 그 향기가 스스로 사그라질 때까지 그것에 젖어있었다.

　지금의 나는 더 이상 저 때의 그리움을 느끼지 않는다. 그리움을 '잃은' 것이 아니라 이제 그 그리움으로부터 '졸업'했다. 드디어 그 그리움의 정체가 무엇인지 깨닫게 되었던 것이다.

나는 내가 태어나기 전부터 사랑하던 존재가 있었다는 걸 알았다. 그리고 내가 깨닫지 못하고 있었을 뿐, 나는 늘 그 존재와 함께 있다는 것도 알았다.

나에게는 돌아갈 본향이 있고 이 세상은 잠시 머무르다 가는 곳이라는 것 역시 알게 되었다.

그리움이 지나간 자리에는 사랑이 차올랐다. 내 최초의 기억이었던 그리움을 나는 이따금 추억한다. 그러고서 나는 머리를 들어 하늘을 보며 사랑해 마지않는 본향을, 그곳에 있을 내 기억 속 발소리의 주인공을 찾는다.

안목

  내가 무언가에 있어서 최고로 좋은 것을 알고 있다고 하자.

  그리고 만일 다른 사람 중 누군가가 그 최고로 좋은 것을 깨닫고 있다는 것을 알게 되면,

  그 사람은 적어도 뭘 좀 아는 사람이구나,
깨어있는 사람이구나,
지혜로운 사람이구나-하고

  내가 생각하지 않을 수 있을까.

아가페의 기쁨

가장 완전한 사랑을 받고 있다는 건 말로 표현할 수 없을 정도로 행복한 일이다.

너무나 감사하다. 모두가 이 사랑을 알 수 있다면 얼마나 좋을까. 알 수만 있다면…

자신이 어떤 존재이든지 상관 없이 자신을 온전히 사랑해 주는 존재가 있다는 걸.

나의 짧은 말로는 설명할 수 없지만, 조금이라도 느낀 사람이라면 말을 통하지 않더라도 알 수 있을 텐데.

가르멜 가는 길

요즘 엄마랑 자주 가르멜 수도원에 기도하러 간다.

가르멜 수도원 안, 성당으로 가는 길목에 모여 피어있던 꽃무릇. 실물로는 가르멜에 다니면서 처음 보게 되었다.

보통은 인도나 일본에서 칭하는 저승화, 피안화로 자주 언급된 꽃.

얼마 전까지만 해도 무리 지어서 잔뜩 피어 있었는데, 며칠 지난 후 가니까 순식간에 져버렸다.
그렇게 빨리 흔적도 없이 시들어 버리다니 놀랐다.

저승화라고···. 이 꽃을 보며 우리 죽음 후를 생각하라고 수도원 안에 피어있는 걸까···.

이 세상에서의 삶도 이 꽃처럼 순식간에 져버리는 것인지도 모르겠다.

물고기 이야기- *어느 날 지어낸 이야기*

종종 관리인이 바뀌곤 하는 연못이 있었다.

이전의 관리인들은 각각의 물고기들이 살 수 있는 수질에 맞게 물고기들을 나누고, 잘 길러왔다.

어느 날 새로운 관리인이 왔다.

그는 물고기들이 급수에 따라 지내는 것을 보고 물고기들에게 물었다.

"너희는 왜 한 연못에 지내지 않고 따로 지내니?"

몇몇 물고기들이 대답했다.

"이전의 관리인들께서 우리 각자가 숨 쉬고 살아가기에 가장 적합한 환경에서 살도록 자리를 배분해 준 거예요."

그러자 새로운 관리인이 말했다.

"서로 갈라져서 사는 것은 옳지 않아. 너희들은 한 곳에서 함께 사랑하며 살아갈 수도 있을 거야. 내가 그렇게 만들어

줄게. 너희는 그것이 옳다고 생각하지 않니?"

수질이 낮은 곳에 있던 물고기 무리가 듣기에 그것은 타당해 보였다. 그래서 외쳤다.

"당신 말이 맞아요. 우리들은 같이 살 수도 있을 거예요."

곧 관리인은 1급수의 연못에 한 단계씩 낮은 급수의 물을 차례로 섞기 시작했다. 그러자 낮은 급수에 살던 물고기들이 점차 1급수 연못에 섞여 들어오기 시작했다.

그렇게 그 연못은 가장 탁한 연못과 다를 바 없이 되었고, 탁한 연못에서 온 물고기를 제외한 나머지 모든 물고기는 그곳에서 사이좋게 헤엄치다 다 같이 죽었다.

안락의 불쾌함

당연히 고통 받는 건 싫다.
괴로운 게 좋을 리 없다.

그런데 이따금..
안락함이 못 견디게 싫을 때가 있다.
편안함이 너무 불편한…
그런 때가 있다.

성탄 피정

2박 3일로 해서 성탄 때까지 수도원에 성탄 피정을 갔다 왔다.

충고해도 할 수 있었고… 나로서는 조금 신기한 일도 있었다. 그래서 그날 내게서 무언가 바뀌었다는 걸 알게 되었는데, 정확히 뭐가 바뀐 것인지는 아직 알아내지 못했다^^;.

앞으로 어떻게 살아갈 것인가
더 생각하고 결심하게 된 부분이 있다.

나는 부족하지만
부족해서 다행이다.

주님 어깨에 기대어 있을 수 있어서,

무언가 이루면 그건 주님 때문이란 걸 알아서,

정말 다행이다.

오만

어째서 이따금 어떤 사람들은
자기가 나를 바꿔놓을 수 있다고 생각하는지 모르겠다.

나의 하느님!

오로지 하느님만 생각하며 살고 싶다.
오로지 주님 안에서 모든 일을 하고 싶다.
오로지 주님의 길 안에서만 삶을 살고
오로지 주님의 마음에 드는 일만 하고 싶다.
주님 안에서 나는 그냥 사랑이었으면 한다.

 제발 성녀 필로메나와 성 요셉과 티 없으신 마리아 님의 도움을 통해 제발 나라는 존재에 어떤 티끌 없이 오로지, 깨끗하고 순결하고 정결한 영혼 하나가 있기를 바란다.

 제발 내가 가는 길이 어떠한 길인지, 주님의 길이 아닌 다른 길을 디디려 하는 것은 아닌지, 내가 분명히 분별하고 알 수 있는 눈이 있었으면 한다.

 주님께서 나를 이끄시고 부디 내가 빗나가지 않게 해주시기를 애원한다.

호수

눈 부신 태양 빛을 받아 찬란히 부서지는 맑은 호수와도 같
이,
내가 당신의 자비심과 인자하심과 사랑이심을 비추어 드리는
맑은 물처럼 되어서,
주님이 나를 자꾸자꾸 들여다보시고 흐뭇해하시고 만족해하
시는

그런 맑은 호수 같은 영혼이 되고 싶다.

주님은 당신이 가지신 모든 것에, 당신의 사랑에 기뻐하실
자격이 있으신 분이니까

그분을 비추어 드리는 맑은 호숫물이 되고 싶다.

하느님 아버지가 들여다보시고
아기 예수님이 물장구치시고
성령께서 차분히 내려앉아 쉬고 가시는

영원히 맑을 호수가 되고 싶다.

나의 길. 어리광쟁이. 천진한 아이

나는 정말 하느님 앞에 어리광쟁이다.

그러나 사실 나는 죽을 때까지 어리광 부리고 싶다. 하느님 앞에서 성숙한 척하고 싶지도 않고 그런 사람도 아니고 또 그럴 양이면 내 몸이 너무 오그라드는 기분이 든다.

나는 어리광쟁이다. 그리고 죽을 때까지 어리광 부리고 싶다.

주님이 때론 나보고 쯧쯧 혀를 차도 좋다고 헤헤거리고 그 냥 주님 앞에서 가끔 아부도 하고 애교도 부리고 그냥 주님 앞에서 천진하고 맹랑한 꼬마 녀석처럼 그냥 그렇게 어리광 부리면서 살고 싶다.

내 천성이 그러하니까. 내가 어떻게 갑자기 어른이 될 수는 없는 것이다…. 그냥 주님 무릎에서 이쁨받고 싶다.

내가 어떻게 해야 하는지 모르겠다. 천진한 아이도 이런 고 민에 봉착할까?

나는 아이이고 싶다. 주님 고통, 고난 다 이해하면서도, 그 래도 굳세어서, 믿을 수 없을 만큼 천진함을 잃지 않으면서 도 굳세고 명랑해서, 주님이 내 곁에 오면 내가 때로는 차분 하게, 때로는 명랑하게, 때로는 아무 말 없이 옆구리를 안아

주고, 같이 눈물도 흘릴 수 있는 그런 존재가 되고 싶다.

고통받기 싫어서 천진하고 싶은 것이 아니다.

그냥 나는 선하지 않은 것에 대해 너무 많은 것을 알아 버리고 싶지 않고 모르는 채로, 영원히 알 필요 없는 채로, 그냥 아름다운 분의 얼굴만 보고 아름다운 분의 손만 만지작거리고 그분의 목소리로 노래 삼고, 영원히 눈처럼 그렇게 하얗게 그렇게 살고 싶다.

내가 지금 그렇지 않더라도 그렇게 해주실 수 있는 전능하신 아버지가 계시니까 그렇게 되고 싶다.

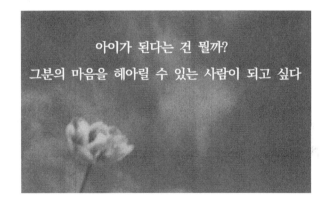

아이가 된다는 건 뭘까?
그분의 마음을 헤아릴 수 있는 사람이 되고 싶다

다짐

이 세상이 끝나는 그 순간까지도
나는 하느님의 끝없이 인자하신 아버지의 모습만을 보아 드
릴 거야.

주님이 당신 자녀들이 보기를 바라지 않으시는 그 분의 모습
앞에서 나는 행복한 소경이 되어 드려야지.

그렇게 생각하면 나는 정말 갈 길이 멀구나.
하지만 그래도 괜찮아.
사랑하니까.

죽어서도 사랑할 수 있다는 사실이 기쁘다.

물들지 않는 어린아이가 되어 드려야지.
이미 주님에 물들어 버려서
더 이상 변할 수 없는
단단한 사랑의 결정이 되어야지.

고민

난 심하게 낙관적이다. 계속 이래도 되는 걸까?

나 자신에게 너무 풀어져 있는 것은 아닌가?

주님은 내게 무엇을 원하실까….

수없이 많은 천사의 도움에서 내가 무시하고 따르지 않은 것들이 많이 있을까.

내가 수호천사를 보고 천사들을 보고
그들과 대화하고 그들과 사는 세상을 살고 싶다고 언제나 간절히 느끼지만, 그렇게 되지 않는 한 나는 늘 어딘가 따르지 않는 삶을 살지도 모른다.

하느님과 천사님들이 권고하는 것을 보고
명확히 따를 수 있는 삶을 살면 좋을 텐데.
그렇게 살고 싶다.

종종 나 자신이 한 일에 죄책감을 느끼고
내 자신의 한심함에 시무룩해지고는 한다.

그래도 다시 기운 차려야지.
기운 차리자.

사랑의 시련으로 맡기고 다시 일어나자.
모든 것을 초월해서,
내 모든 한심함까지도 초월해서
주님께 손을 뻗고 다가가야지.

모든 것을 넘어서
언제나 주님을 신뢰해 드릴 줄을 알아야지.

메마름

내가 설령 내적으로 메마르고,
아무 사랑도 느낄 수 없고,
아무도 사랑하는 마음이 들지 않고,
기도에 아무런 열정도 느낄 수 없다 해도,

그래도 기도하고,
선하게 대하고,
미소 짓고,
또 기도하기를 멈추지 않는다면
그럼 나는 제대로 가고 있는 것이다.

만약에, 정말 설령 죽을 때까지 그런 상태라 해도
그래도 내가 주님만 바라보고 있을 수 있다면,
지금 나는
주님의 십자가 길을 함께 걷고 있는 것이라고
그렇게 확신할 수 있다면
그러면 되는 것이다.

제2부

낯선 세상에서

청지기의 자리

여기저기에서 나를 부르도록
나를 마음껏 쓰도록 내어 맡기는 것이
사실 언제나 기분 좋을 리는 없다.

그래도 고통스러워하면서도 참는 것을 넘어서,
그 상황에 심지어 웃을 수 있다면, 즐길 수 있다면
주님께 더 영광 드릴 수 있는 것 아닐까.
그리고 그게 작은 데레사가 했던 것이고.

사실 내가 하는 희생이 정말 별것 아니라는 건
예수님이 직접 나에게 알려주셨기 때문에 잘 알고 있다.
힘든 척 내숭 떨어도 소용없다.
내 희생이 참 보잘것없다는 것엔 변함이 없으니까.

내가 해야 할 일은 위대한 희생들이 아니라,
살아가면서 좀 더 애덕을 실천하면서 주님을 기쁘게 해
드릴 수 있는 일들을 하는 것이다.

언제나 기억하지 않으면 안 되는 것이다.
내가 거저 받았다는 것을.
내가 무슨 합당해서 은총 받고 이렇게 좋은 자리를 얻고

좋은 길을 가는 게 아니라, 그분의 선하심 때문에
주님이 그저 나를 선택하셔서 좋은 길을 거저 주셔서
이렇게 되었다는 것을 기억하지 않으면 안 되는 것이다.

Devotion

가장 좋은 걸 받았다는 걸 알고 있다.
작은 길. 어린아이와 같은 영혼의 길. 아기 예수.
거룩한 주님의 얼굴. 성 요셉. 마리아.

정말로 거저 받은 것이다. 아니면 주님께 사랑받는 겸손하고 아름다운 영혼들이 나 몰래 나를 위해 많은 기도를 바쳤을 것이다.
언제나 감사해야지. 내가 좋은 길을 받았다는 걸 이렇게 확실히 알고 있으니까.

원의

온전히 사랑해 드리고 싶다.
우리의 사랑이 신과 같이 온전할 수 없다면
내 원의라도 온전히 드리고 싶다. 온전한 사랑.
티 없는 사랑. 깨끗한 사랑. 아버지의 마음을 기쁘게 하는 사랑…
사랑.

수호성인의 이름을 생각하며

어쩌면 정말로 내가 다른 사람들보다 훨씬 성모님의 신비를 몰라서 내 세례명이나 견진명을 정하거나 할 때 마리아 님을 내 수호성인으로 택하지 않는 걸지도 모른다. 마리아 님을 세례명으로 택하는 사람들을 보면 뭔가 정말 대단하다는 생각이 든다. 그들은 마리아 님의 부름을 받고, 그분의 특별한 관심을 받고 있는 건 아닐까.

그래도 나는 성모님을 하늘의 여왕님이라고 생각하고 있고, 그분이 다른 성인들과는 차원이 다른 존재라고 생각하며 특별히 공경하는 마음을 가지고 있다. 정말로 성모님의 삶과 정신을 본받고 싶다고 생각한다.

다만 성사를 받을 준비를 하며 이름을 정하는 이 때, 나로서는 마리아이든 첼리나이든 릴리아나이든 마리아 님의 이름을 내 이름으로 삼기보다는, 차라리 당신 정배였던-역시 다른 성인들과는 한 차원 다른- 성 요셉의 이름과 함께 성모 당신께 나아가고 싶다고 바라고 있다. 그러면 성모께서 나를 당신 아드님과 아버지와 성령께로 데려가 주실 테니까.

정말로 사랑한다.
내게 위로를 주는 여인이신 분.
얼굴 표정 그 어느 감정으로도
내게 위로를 주시는 분.

그래요, 당신은 하느님도 위로하는 분이시니까.
우리에게 위로를 주시는 가장 아름다운 여인이여.

내가 만일 가장 아름다운 이에게 황금 사과를 바쳐야 하는 파리스였다면, 두말할 필요도 없이 성모님께 그 영광을 바쳤을 것이다.

그러나 성모님을 그런 것 따위를 바라시는 게 아니라 겸손에서 솟아 나오는 하느님께로의 영광과 우리의 성화와 사랑을 원하시니까, 나는 나의 삶과 정신과 육신과 영혼을 황금 사과로, 아니, 황금 금관으로 바꾸어서 성모님께 씌워드리자.
그러면 성모님은 영광 받으시고 아버지 역시 성모님을 통하여 영광 받으실 것이다.

민들레꽃 씨앗

하느님의 숨결 따라 불려가는 민들레꽃 씨앗 같은 영혼이면 좋겠다.

성인들의 침묵

St. Gerard Magellan.

'He remained silent.'

침묵을 지킨다는 것은 뭘까.
어째서 성인들은 결백한 상황에서도 침묵하는 걸까.

알고 있다. 이건 그들이 겸손하고 그리스도의 모범을 따르며
하느님의 뜻만을 의지했기 때문이라고.

하지만 때로 나는 성 요셉이 마리아 님께 했던 것과 같은 말을
하지 않을 수 없는 것이다.

"당신은 어째서 그리도 겸손해서, 그 겸손으로 나를(그들을) 고통
스럽게 하였소?"하고.[2]

---

2) 마리아 발또르따, 『하느님이시요 사람이신 그리스도의 시』 제1권, 크
리스챤 출판사, 「42. 나자렛의 마리아가 요셉에게 해명한다」 내용 중.

성모님께서 성령으로 구세주 예수를 잉태하신 것을 천사를 통해 알게 된
후 성 요셉이 한 말이다. 정확히는 "오! 그래요. 얼마나 괴로웠는지 모르
오! 정말 괴로웠소! ...마리아, 왜 당신 남편인 내게 당신 영광을 숨겨서
당신을 의심하게 할 정도로 겸손하였소?"이다.

오해를 하는 사람들, 오해하고 싶지 않은데도 그들의 침묵으로 인해 고통받는 사람들은 무슨 잘못인가? 제라드의 부모님들도 자기 아들을 겨냥한 그 모략으로 인해 고통 받았다. 성모님의 침묵으로 성 요셉 역시 극심한 고통을 받았다.

그러나 성인들의 삶이, 거룩한 어머니 마리아의 삶이, 거룩한 주님의 삶이 우리에게 매우 단호한 한 가지 사실을 알려준다.

우리는 '자기 영혼의 성화와, 자신과 하느님과의 관계와, 자신에 대한 하느님의 성의Divine Will와 사랑만'을 진정 가장 우선적으로 생각해야 한다고.

참 하느님을 공경하는 것만을 원해서 의덕으로 자라시오.
하느님께 대해서는 다른 어떤 피조물에도 주어서는 안 되는
절대적인 사랑을 가져야 합니다.
내가 여러분에게 본보기를 주는 이 완전한 의덕으로 오시오.
자기 자신의 안락이라는 이기주의와 원수와 죽음에 대한 공포를
발로 짓밟는 의덕, 하느님의 뜻을 행하기 위하여 모든 것을 짓밟는
의덕으로.

-그리스도의 시 중 예수님의 말씀[3]

---

3) 마리아 발또르따, 『하느님이시요 사람이신 그리스도의 시』 제8권, 크리스챤 출판사, 「33. 의인이 권고에 붙여주는 가치」의 내용 중.

신적 사랑을 이해하지 못하는 이들에겐 잔인하게 들리겠지만, 하느님의 뜻 안에 있을 때는 다른 사람이 그것으로 인해 (멋대로 오해하여 스스로) 짊어질 고통을 고려하여 일을 그르쳐선 안 된다.

왜냐하면 그 침묵은 그 행동은 진정한 사랑에서 나온 행동이고. 겸손의 행동이며, 하느님의 뜻에 영광 드리는 것이기 때문에.

그리고 다른 이들은 그 어떤 상황에서도 실은 오해하지 말아야 할 의무가 있고-*왜냐하면 그건 결국 누군가를 판단하고 어쩌면 단죄하는 것이니까*-, 그들이 자신의 판단으로 인해 느끼는 고통은 어쩔 수 없는 일이며, 만일 성 요셉과 성 알퐁소처럼 그의 결백을 믿어주면서도 확언받지 못해 얻는 고통은 하느님의 뜻에 따라 그들 개인 영혼의 성화와 다른 좋은 영적인 일에 쓰임 받을 수 있을 것이다. 하느님 뜻 안의 고통들은 결국 다 저들에게 좋은 것이다. 억울하다고 여길 종류의 것이 아닌 것이다.

성경에서 성 바오로의 서간을 보면 인상 깊은 구절이 있다.
"하느님께서 그대들에게 바라시는 것은 그대들 개인의 성화"라는 말씀(1th 4:3).

이기심과 자비.
이기심과 겸손의 경계란
진실로 티 없는 사랑만이 결정할 수 있다.

티 없고 완전한 사랑만이 알고 있는 것이다….

우리가 다른 이들이 받을 심적 육적 고통을 생각했어야 했다면
성녀 필로메나는 부모님으로부터 황제와 혼인하라는 부탁을 받았
을 때 자신이 예수님께 봉헌했던 순결을 포기했어야 했다. 그래야
자기 영주민들을, 자기 부모님을, 적의 침략과 황제의 분노로부터
구해줄 수 있었을 테니까.

그러나 그녀는 무슨 말을 했나?

"제가 예수님께 봉헌한 순결이 그 무엇보다도 우선입니다.
부모님보다도 우리 조국보다도, 저의 왕국은 하늘나라입니다!"

하느님은 절대적으로 찬미 받으셔야 한다.
그분은 모든 일에서 절대적으로 우선시되어야 하고, 모든 것 위에
서 영광을 받으셔야 한다.

그분은 창조주이며 우리는 피조물이다.
그분은 우리에게 무엇이든 마음대로 하셔도 좋으며 그것은 언제
나 옳을 것이다.

그러나 우리는 그분이 우리를 어떻게 대하신다 해도 걱정할 것이
아무것도 없다. 왜냐하면 그분은 '사랑하는 아버지'이시기 때문이

다.

그분은 사랑의 하느님이시다. 우리는 그것을 받아들여야 한다.
그것이 사실이니까. 그것이 진리니까.

하느님께 있어서만큼은 우리는 전적인 신뢰를 가져야 한다.
주님께 있어서만큼은 티 없이 맹목적인 사랑을 드리는 것이 우리
에게 가장 의로운 것이다.

나는 내가 다른 인간적인 사랑을 완전히 버리고, 하느님을 향한
티 없는 사랑을 하고, 그분의 성의를 온전히 따르고 있다고는 아직
생각하지 않지만, 앞으로 계속 노력해서 그렇게 되고 싶다.

하느님께 더 완전한 사랑을 드리고 싶다.
더 완전한 사랑을, 더 완전한 순종을 행하고 싶다.

반쪽짜리

나도 반쪽짜리 자녀가 되고 싶지는 않다.
아버지가 완전하신 것처럼
나도 완전한 사랑의 자녀가 되고 싶다.

지상의 아름다움

빠질 수가 없었던 축제, 기념 파티에 갔다.
아름다운 모습들, 드레스, 춤과 연극.
열정적인 그곳에서 문득 '죽음에 대한 강렬한 열망'을 느꼈다.

허무주의는 아니다…. 나는 그 축제를 흥미롭게 생각했다.
그러나 내가 얻은 것은 천상에 대한 더욱 강렬한 열망이었다.

매일의 영성체가 내게 빛과 결합되는 길을 알려주고, 하늘을 사랑하는 법을 알려주었다.
유혹을 쉽게 이기는 강인함을 주었고, 주님을 더욱 사랑하길 원하는 원의를 크게 해 주었다.

그때 당시에는 왜 그렇게 죽음에 대한 생각이 열렬해졌는지 나도 정확히 파악하진 못해서 의아했지만, 오늘 데레사의 권고와 추억을 읽고서 이 마음이 어떤 것이었는지를 알게 되었다.

성 소화 데레사가 병상에 있을 때, 예쁜 것을 좋아하는 그녀를 생각해서 아기자기하고 예쁘게 장식된 과자 상자를 어떤 이가 주었는데, 그것을 본 소화 데레사는 심각한 표정으로 이렇게 말했다.

"나는 지상의 아름다움을 보았습니다.

그리고 내 영혼은 천국을 꿈꾸었어요……."[4]

아아 지상의 아름다움…

나는 그들의 모습이 멋지다는 걸 알고 있었다.

그것이 사람을 흥분시키고 강렬한 기쁨을 느끼게 한다는 걸 알고 있었다.

하지만 그런 걸 원하지 않았다. 강렬한 감정들이 나를 사로잡기를 원하지 않았다.

아무리 반짝이고 화려해도, 아무리 아름다워도,

천국의 아름다움에 비해서는 결국 한낱 그림자인 것이다….

천국의 것들에서 멀어지기를 원하지 않아.

아기 예수님이 계신 구유 곁으로 계속 다가가고 싶다.

걸인처럼 돌아다니신 길손 예수님 곁을 따르고 싶다.

영광은 하늘에서만 받고 싶다.

영광 속에서 겸손하게 있기란 얼마나 어려울 것인가.

성왕 루이 9세처럼 성 페르디난도 3세 왕[5]처럼, 어린 구주 왕을 뵈온 동방의 현명한 왕들을 닮기에 나는 너무도 교만하지 않은가?

그러니 나는 이대로, 눈에 띄지 않는 채로 있는 편이 좋지 않을

---

4) 성면의 즈느비에브 수녀, 『권고와 추억』, 대전 가르멜 수녀원 옮김, 가톨릭 출판사, p237

5) 가톨릭 성인(1252, 축일 5월 30일). 프란치스코회 제3 회원. 카스티야의 왕. 그리스도 왕국을 위해 싸웠으며 영광스러운 지위에서도 청빈하고 겸손하였다.

까?….

아버지. 그저 제게 주님의 뜻을 이루어 주세요.

하늘에서와 같이, 저에게도 이루어지리이다.

언제든 다시 시작하는 것을 걱정하지 않음

스케줄이 끝난 오후 8시 30분경, 성당에서 여느 때와 같이 성체 조배를 하고 있었는데, 바람이 바다에서나 부는 강풍인 양 끊임없이 휘몰아쳤다. 성당 창문과 문들이 울리면서 거대한 소음을 만들어 대는데, 하늘이 진동하는 것 같았다. 그 우르릉거리는 소리에서 하느님의 위엄을 느꼈다.

그 속에서 나는 이런저런 생각을 하면서 주님께 말씀을 드리고 있었는데, 나는 '지금 내가 하는 말들과 생각들이 사실은 다 교만에서 나온 것들이면 어쩌나?'하고 생각했다. 그러다가 금세 자기중심적이고 무익한 생각은 지우고, "어쩌긴 뭘 어째, 그럼 그때부터 다시 시작하는 거지 뭐."하고 나 자신에게 말했다. 그런데 그 순간 줄곧 진동하던 강풍이 갑자기 멎었다. 완전한 정적. 그것은 아주 작은 소리도 나지 않는 완벽한 정적이었는데, 너무 갑작스러워서 나는 무슨 일인가 싶어 가만히 귀 기울이며 주변을 둘러보았다. 그런데 정말 기이할 정도로 고요한 정적이 지속되었다.

나는 이 신비한 일을 하나의 표징이라고 느꼈다.
언제고 걱정하지 않으면서 다시 시작하고 다시 나아가면 된다는 신뢰 어린 다짐에 대한 주님의 긍정, 기쁨의 표현이라고.

그래, 언제는 내가 완전하고 다 이해하고 다 알아서 주님을 사랑

했나? 아니잖아. 그러니까 내 안에 무엇이 있고 무엇이 일어나든 걱정할 필요가 없는 것이다.

주님께 지금 이 순간마다 가장 좋은 것을 드리고 싶지만, 내가 부족해서 그럴 수 없었고, 또 그것을 나중에 깨닫는다 해도
그냥 깨달았다면 깨닫게 해 주신 그것에 감사하면서, 고치고 다시 나아가고 다시 시작하면 되는 것이다.

시간은 넉넉하다.
하늘에선 언제나 이 순간이 영원이니까.
가난한 내 영혼도 언제고 주님 안에서 부자가 되기에는 넉넉해.
주님의 마음에 내가 언제나 신뢰하며 들어가 있다면,
주님은 나를 한순간에 부자로 만드시기에 넉넉하시다.

급행열차

나는 지금 급행열차를 타고 있다고 느낀다….
전혀 준비가 되지도 않았는데
꾀죄죄하고 후줄근한 모습 그대로
이 기차에 탔다는 걸 알게 된 것이다.

이 기차는 목적지까지 정차하지 않고 달리는 급행열차여서,
나는 이제 내릴 수도, 되돌아갈 수도 없다.

예수님은 이 기차의 차장이신데, 우리의 종착역은 하늘에 계신 아
버지의 품속이다.

언제 도착할지 나는 알지 못한다.

다만 하루도 천년 같고 천년도 하루 같은 주님의 시간 속에서,

이는 얼마 걸리지 않을 것이다.

무용지인無用之人

주님, 이 세상에서 점점 더 무언가를 할 원의를 잃어가요.
제 원의의 한 편에서는 무언가 훌륭한 것을 만들어 내기를 원하는 것을 알고 있어요.

그러나 주님, 당신이 제게 주셨던 영감처럼,
그것은 하늘로서는 언제나 아무것도 아닐 거예요….

예수님, 당신의 생애는…
당신의 말씀까지도 사도들이 대신 기록했지요.

당신의 사랑은 십자가 조각과 십자가의 길에 묻어 있고,
베로니카의 베일과 성해포에 찍혀 있습니다….

당신은 말씀하시는 말씀, 행하시는 말씀이셨고, 당신이 이 세상에 남기고 가신 것은 당신의 수난과 구원, 그리고 거룩한 사랑 외에는 아무것도 없었습니다….

성모님 역시 그 몸까지 들어 올려지셨지요.
이 지상에서는 그분의 거룩한 육신이 자리할 곳이 없었나이다….
제 사랑도 하느님께만 올라가길 바랍니다….

아버지, 아버지…!

저는 너무도 사랑을 원합니다.

훌륭한 것들을 남길 수 있게 된다 하더라도, 실은 그저 이곳을 뒤로하고 그냥 당신 곁에 가고 싶나이다.

남긴 어떤 것 때문이 아니라,

살아있는 이 시간에 흘리는 눈물과 생각과 존재로 나의 사랑을 채우는 것으로 만족하기 위해서….

그러면 눈물은 언젠가 사라지고 내 삶의 시간들에 새겨진 사랑만이 남겠지요. 그것으로 완벽합니다….

티끌 없는 사랑을 위해서.

더 이상 멋있어지기를 원치 않을 만큼

거지꼴로 점점 무능해지는 가련한 어린 영혼…

딱히 다른 이들의 모범이 되고 싶지도 않고

그저 당신하고만 바라보고 사랑을 하다가

그저 당신만 사랑하다가 보잘것없이 떠나가는 영혼으로…

아버지, 세상에서의 이룸이 다 무엇인가요?

아버지, 나는 어떻게 하면 좋을까요?

당신은 제게 무엇을 원하시나요?

당신의 뜻을 저도 원하나이다….

하느님의 종에게

네가 모든 것에서 다른 이들보다 더 낫다고 결코 착각하지 말 것이며,

네가 하는 의무는 언제나 마땅히 해야 했던 일로 알 것이며,

너는 종이므로, 희생하는 것은 당연하고

때로는 오해받고 비난받아도 종이므로 그것 역시 당연한 것으로 알 것이며,

그저 주님은 너의 모든 것을 아신다는 그 사실로서

모든 용기와 위로를 충분히 얻을 것이며,

그러나 언제나 모든 사건들 위에 자리해서

슬기로운 눈으로 사물을 내려다보며

선한 지향과 티끌 없는 사랑으로 존재할 것이다.

어느 괴로운 날

「특별히 괴로울 때에는 기사(技師)이신 하느님께서 당신의 영혼을 더욱 곱게 하시기 위하여 가위를 사용하시는 줄로 생각하고 하느님 손 밑에서 안온하게 있어야 합니다.」

-삼위일체의 성녀 엘리사벳

주님께서 내 영혼을 거룩하게 하기 위하여 가위를 사용하고 계신다….

침묵

내가 현명하고 지혜로운 판단을 할 수 없고, 그런 행동을 할 수 없을 때는, 언제나 침묵을 선택할 거야.

가장 거룩하고 복된 소식까지도 자기 뜻대로 알리지 않고, 주님이 당신 뜻대로 직접 알리고 행하시길 기다리신 성모님처럼.

성모님을 닮자.

사람의 판단, 그리고 겸손

전통적인 종교는 기본적으로 거룩한 틀을 가지고 있기 때문에 그 경계 안에서 살아가는 이들이 좋은 태도를 배우고 익히는 데 유익하다.

그런데도 가장 중요한 것은 사랑이다. 틀과 환경은 참으로 한 사람을 다듬는 데 유익하지만, 틀이 아무리 거룩해도 영혼은 자신이 하느님께 티 없는 사랑을 드릴 수 있도록 꾸준히 노력해야 한다.

때로 어떤 이들에게는 그 틀 자체가 하나의 기초가 된다.
다른 이의 영성을 판단하는 판단의 기초가.

훌륭한 틀과 환경을 가진 것은 물론 자부심을 느낄 만한 은총이긴 하지만, 때로는 그것이 지나쳐서, 이것을 가졌단 이유만으로 그들 자신을 더 나은 사람으로 여기게 만드는 척도로 생각한다는 것을 느낀다.

…사람들의 판단이란 너무도 견고하지 못한 것이다. 흠 많은 판단들에 죽은 후에야 얼마나 어리석었는지를 알게 되는 것이다.

불완전한 인간에게 있어 겸손이란 얼마나 쉽지 않은가.

그러나 겸손. 얼마나 중요한가….

젬마 갈가니 성녀의 책을 읽었을 때, 무슨 덕이 가장 중요하냐는 다른 사람의 물음에 그녀는 탄식하며 겸손이 가장 중요한 덕이라고 대답했다.

내가 설령 티끌 없는 사랑을 하느님께 드렸다 하더라도 주님의 선물을 거저 받는 것을 당연하게 생각하고 싶지 않다.

아무것도 당연한 것은 없다. 겸손하고 싶다.
아, 나는 실은 겸손이 무엇인지 전혀 모르는 걸지도 몰라.

그래도 주님이 무언가를 주실 때, 한 끝도 당연하다고 여기지 않음으로써 주님께 순수하고 온전한 감사와 찬미를 드리고 싶다.

견진성사 준비

나는 지금 견진 성사 때 오실 성령님을 위해
희생의 선물을 모으고 있어요.

아버지를 사랑하는 자녀

사랑은 도대체 어디까지 관대한 것인가.
사랑의 관대함은 한계를 모른다.

오, 아버지!
아버지에 대한 그릇되고 애석한 꺼풀들을 벗겨갈 것이다.

아버지, 우리 섬세하고 다정하고 지극히 애정 깊은 우리 아버지.

완벽을 추구하는 게 아니라는 거 명심해.
갑자기 무슨 대단하고 완전한 성인이 되려고 이러고 있는 게 아
니라는 거 명심해.

'성인이 되기 위해서'가 아니라,
'사랑을 하는 자녀'가 되기 위해서야.

나는 아버지를 즐겁게 해 드리는 것이 목적이므로
내가 보잘것없는 것은 전혀 문제가 되지 않아.
오히려 아버지를 기쁘게 해 드리기에는 더욱 좋은 것이다.
그만큼 신뢰를 보여드릴 수 있으니까.

그러니 명심해.

덕이 없고 나약하고 부족하기 짝이 없다고 해도

계속해서 힘닿는 데까지 노력하면서

전능한 아버지를 신뢰하는 그 이유 때문에 언제까지고 실망하지 않고 기대하고 희망하고 기뻐할 수 있다면

나는 그 어떤 덕을 실천하는 의인보다도 더 아버지를 기쁘게 해드릴 수 있을 거야.

백인대장을 본받자.

"주여, 제가 당신을 모시기에 합당치 않기 짝이 없으나, 저는 알고 있나이다. 주여, 당신께서 한 말씀만 하시면 제가 나으리이다."

나약함에의 슬픔

내가 게으른 걸까.

이 나약함은 선천적 수준이라 나도 거의 뭘 할 수가 없을 정도인데.

나는 아빌라의 데레사 성녀가 말한 거룩한 대담성 같은 좋은 덕을 행동에 있어서는 하나도 가지지 못한 걸까.

아아, 나는…

…그러나 '나'를 그만 바라보기 위해서
서둘러 주님을 찾아야겠다.

이런 자잘한 내 결점 하나하나 따지면 나는 또 완벽과 나를 비교하면서 절망에 빠져 버릴 거야.

그러면서 <u>심지어는 완벽을 질투하겠지.</u>

그러니 됐어. 이제 그만 됐어.
나에게 빠져서 허우적대는 것은 이것으로 족해.
부족함을 받아들여.

쿠페르티노의 성 요셉을 본받자.
남에게 모범적 덕행 따위 거의 할 줄 모르고 할 수 없을 때라도
언제나 웃고 겸손하고 사랑할 줄을 알자.

잘난 덕행을 위해서가 아니라
겸손을 위해서 노력하고 연습하자.

언제나 죄인일 뿐이오니

주여, 저는 언제나 죄인일 뿐이오니,
부디 저에게 자비를 베푸시고
저를 불쌍히 여겨 주십시오….

힘을 주세요

주님. 제게 주어진 일을 잘 해낼 수 있게 해 주십시오.
주님, 당신께 청합니다. 일을 잘 해낼 수 있게 해 주세요.
제 영광을 위해서가 아니라, 저와 함께하는 저 사람들을 위해서
청합니다. 저를 위해서가 아니라 다른 이들을 위해서 청합니다.

주님, 저를 도와주십시오.

주님께서 아시다시피 저는 죄인입니다.

저를 불쌍히 여겨 주십시오. 다른 이들에게 해를 끼치지 않게 해
주세요. 사랑합니다, 주님. 주님의 뜻을 신뢰하며, 제 모든 원의를
성모님을 통해서 주님께 바치나이다.

정신이 딴 데 간 아이

일할 때도 자주 성모님, 예수님, 그리고 천사들을 생각하는데, 그
게 더 나를 딴생각에 정신이 산만한 애로 만드는 것 같다.

어떻게 이것저것 분주한 일을 완벽하게 하면서도 하느님을 머리
로 묵상할 수 있을까?

나는 자주 정신이 딴 데 가 있는 애 같다는 소릴 들었는데.

나는 그냥 일할 땐 아버지를 생각하지 않는 게 좋은 걸까?
그냥 생각이 절로 주님께 갈 때도 있는데.

그렇지만 주님 생각한다면서 일을 제대로 해내지 못한다는 건 정
말 이상하잖아. 뭘까 이건.

하느님 생각을 안 하는 대신에 일에 집중해서 잘 해내면 그것도

하느님 영광 드리는 거 아닌가.

언제고 제대로 집중해서 무언가를 하기가 힘들었던 것 같다.

대회를 나가면 상도 탔고, 아름답고 감탄할 만한 시나 소설도 써
냈고, 작품도 만들어 냈고, 학교에선 과제나 성적도 훌륭히 해냈고
하는데도 이상하다. 무언가에 내 모든 열정을 쏟는다는 것이 참으
로 힘들었다. 쏟으면 쉽게 지치고 진盡하였다.

이건 내 본성의 거부와 게으름 때문에 내가 쉽게 지침으로 해서
스스로 그만두기를 원해서, 인 걸까.
아니면 너무 집중해서 주변 돌아가는 상황도 몰랐거나. 그런 때도
있긴 했는데.
그림을 그리거나 노래를 하거나, 단순한 일(자수나 재봉 같은 것)
을 할 땐 정말 그것밖에 안 보이는 듯이 하는데.

이건 내 마음을 이끄는 일에만 완전히 홀린 듯이 되어버리는 내
천성 탓일까.

나는 편식쟁이인 걸까.

내 자신의 본성이 하도 영악하고 복잡해서 나 역시 잘 모르겠다.

거룩한 공동체 일원들에게 봉사하던 때

안주하지 말고 부지런히 일하자.
부지런히 행하고, 마땅히 해야 하는 만큼 열심히 일하고,
권고를 받으면 거룩한 척하면서 내가 피해자인 양 굴지 말고
적어두고 그대로 행하도록 해.

할 수 있잖아.
예전에 일할 때도 잘 결심하고 실행했었잖아.
할 수 있어.
노력으로 해야 하는 일들은 하자.
그분들을 내 이기심과 내 나태함과 태만 때문에 괴롭게 해 드리
지 말자.
그분들은 나의 성모님들이고, 나의 예수님들이고, 나의 성 요셉들
이니까, 건방지고 무례하게 대하지 말자.

할 수 있는 만큼 온 힘을 다해서
섬기자.

승리의 성모님Our Lady of Victories

성모께 의탁하면 그 어떤 죄인이라도 결코 마귀에게 빼앗기지 않으리라는 것을 깨달았다.

하느님은 당신의 가장 완전하고 거룩한 피조물이자 마귀와 대항하여 승리를 거둘 '여인'으로서 마리아를 세우셨으니, 그녀에게 의탁 되는 영혼을 마귀가 탈취해 가도록 결코 허락하시지 않을 것이다.

만일 그렇게 된다면 그것은 하느님의 뜻에 어긋나는 것이 되는데, 하느님의 뜻 안에서 티 없이 완전하신 마리아께 속한 것에 패배의 기록이란 있을 수 없는 것이다.

제3부

한 걸음 더

소화 데레사의 자서전

처음 읽을 때부터 너무 감동하여 계속 감격의 눈물을 흘렸다.

왜 예수님께서 그녀가 나를 찾아와 이끌도록 하셨는지 알 수 있었다.

그녀가 말하는 길이 바로 내 깊은 영혼 속에서 이미 감지하고 있었고 또 찾아 헤매던 길이었으니까.

그녀처럼 괴로움과 십자가를 이겨내는 너무나도 간단하고 쉬운 방법을 알려준 성인은 내게는 달리 없었다. 다른 것들을 읽어 봐도 내겐 마음의 부담과 짐만 되었다.

속은 뭔가 부족하고 비어 있는데 겉은 단단한 호두알처럼 무장해야 할 것만 같은, 사랑이 뭔지도 모르겠는데 거대한 희생부터 해야 할 것만 같은 기분이었다.

나는 그런 걸 바라는 게 아닌데. 그게 아닌데. 그러면서 계속 더 힘들고 본받기도 힘들었다.

그러나 데레사는 내 깊은 영혼 속에서 어렴풋하게 느끼고 있던 그 티 없는 사랑, 진정한 사랑이 무엇인지 비로소 표면으로 드러내 주었다.

마귀의 유혹이 극심해 고통받았던 그 시기,

'자녀에게 무작정 고통 주는 하느님 아버지'에 대한 생각이 스쳤을 때 폭발하듯 울음을 터뜨리고는 서럽게 엉엉 울던 그날의 내 감정….

명확한 이유도 모르고 속상했던 그 감정이 무엇인지 깨닫게 해 주었다.

난 아버지를 그렇게 생각하고 싶지 않았다.

'아버지는 그런 분이 아니야… 아버지는 그렇지 않아.

아버지는 날 너무도 사랑하신다고. 난 알고 있어.

아버지는 내가 그토록 괴로워하는 걸

단 한 순간이라도 즐기실 수 있는 분이 결코 아니란 말이야!'

내 귀에다 대고 잔혹한 하느님의 像을 속삭이는 마귀의 이간질에 나는 이렇게 대답하고 싶었던 것이다.

창조주와 피조물 사이의 사랑의 관계.

그리스도를 통해 하느님 아버지의 자녀가 된 우리가 하느님께 가져야 하는 사랑의 형태…

어린아이다운 마음, 어린이 같은 사랑과 신뢰로 아버지를 사랑하고 대해 드리는 것. 그것이 얼마나, 아, 얼마나 중요한가!

실제로 인간이 드리는 하느님에 대한 사랑에는 대부분이 너무도 자애심과, 때로는 다른 이에 대한 사심과, 얼마 정도의 허영과, 교만이 섞여 있다고 생각된다…. 그리고 때로는 영웅적인 희생을 훌륭히 해내는 이들에게도 그런 마음이 충분히 있을 수 있다고 본다. 심지어 사도들까지도 한때는 그랬으니까.

그러나 적어도 소화 데레사는, 진정으로 낮고, 가장 겸손하고, 하느님이 우리에게 가장 원하시던 그 진정한 바람 한 가운데를 꿰뚫고 들어가서, 그 성심 한 가운데를 완전히 파고들어서, 아버지를 사랑의 행복한 패배자[6]로까지 만들어 버린 영혼이었다.

그래서 나는 이 '작은 길', 이 '영적 어린이'의 길이라는 훌륭하고 뛰어나고 위대한 길을 데레사를 통해 우리에게 알려주신 주님께 찬미와 감사를 계속 드리지 않을 수 없다.

나는 데레사가 아니니까 주님이 내게 주시는 '나만의 작은 길'을 가게 되겠지만, 이 길의 표본이 되어 주었던 작고도 훌륭한 나의 위대한 수련장 성인님의 영혼에 이미 있는 것보다도 더 큰 영광이 있기를 언제나 희망한다!

---

6) 너무도 사랑스러운 자녀, 너무도 말 잘 듣는 자녀, 너무도 기특한 자녀에게 아버지는 져주시는 분이니까.

작은 꽃과 하느님의 여러 자녀

소화 데레사와 루이사 피카레타.
소화 데레사와 비오 신부.
소화 데레사와 마드레 스페란짜.
소화 데레사와 테레사 노이만.
소화 데레사와 마르셀 반.

그리고 소화 데레사와 나.

나는 저들이 다 자신만의 길을 갔던 것처럼
나의 길을 달리게 되겠지만,

소화 데레사. 당신은 정말 당신의 정배처럼 선견지명이 있으십니다.
다른 누구도 아닌 당신이 제게 와 주셔서 감사합니다.
심지어 루이사 피카레타의 이야기도, 비오 신부님의 이야기도, 나를 겸손에 대한 갈망으로 이렇게까지 채운 분은 없었습니다.
아마도 그걸 아셨기 때문에 비오 신부님도 제게 그렇게 대하신 것 같습니다.
마드레 스페란짜의 희망의 신학도 내가 인자하신 아버지를 사랑하는 데 감미로운 양식이 되었습니다. 다만 그녀가 걸어갔던 길은 제가 앞으로 걸어갈 길과는 다르다는 걸 느끼고 있어요.

내가 어떤 길을 걸어갈지는 모르겠지만, 사랑합니다.

그 길에는 언제나 티 없는 사랑에 대한 갈망과,
진리이신 아버지에 대한 맹목적인 신뢰와,
사라지지 않을 희망이 있을 거예요.

매 순간

매 순간 살아 계신 예수님의 모든 시간들에 따라다니면서 그분을
사랑하고,
아기 예수님의 모습으로 계신 예수님을 매 순간 품에 안아 드리
고,
매 순간 돌아가신 후 성시聖屍로 남으신 상처 가득한 예수님을
끌어안고 있고 싶다.

아버지는 무엇이든 하실 수 있으니까 내가 아버지의 모든 시간들
에 함께 있고, 안겨 있고, 안고 있을 수 있게 은총 베풀어 주시면
좋겠다.

성 요한 보스코의 말

살레시오회의 창립자인 성 요한 보스코.

한 회원이 그에게 "저는 한 아이를 위해 할 수 있는 모든 노력을 다했습니다"고 말했을 때, 성인이 한 말은 "그 아이를 위해 기도했습니까?"였다.

무언가 부족하다면, 무언가 절망적이라면, 기도가 부족했던 건 아닌지 생각해보자.

인간의 해결법에 희망을 두기 전에, 인간의 능력에 자신하기 전에,

먼저 기도했는지, 충분히 의탁했는지, 하느님의 힘과 뜻에 온전히 믿음을 두었는지 제대로 확인하자.

마음 다듬기

무슨 척하지 말자. 참을 수 있을 만큼 참자.

말하지 말자. 거룩한 '티' 내지 말자.

그냥 모지리로 그냥 설렁설렁한 애도 보여도

적어도 내가 작정하고 대충 사는 게 아니라 노력하고 있는 거면

남이 날 뭐라고 보든 머리털만큼도 신경 쓰지 말고 그냥 즐기자.

모른다 해도

많은 신비를 알지 못하고 이해하지 못해도
그 무지에서도 터져 나오는 티 없는 사랑을 드리고 싶다.

무지 속에서도 하느님을 사랑하고 싶다.
세상의 모든 혼란을 다 느껴도 주님을 향한 신뢰에는 한 털 흔들
림도 없을 것 같다고 느낀다.
이건 다 내 망상인 걸까.

나는 사랑하고 있다.
나는 내가 이렇게 결점이 많아서 차라리 다행이라고 생각한다.
결점이 많아서 하느님을 사랑할 수 없다고 생각하며
하느님께 사랑을 드리기를 주저하는 이들에게 좋은 반례가 되어
줄 수 있으니까….
내가 죄인인 건 하느님께 사랑을 드리지 못할 이유가 될 수 없다
고….

고통받길 원치 않으면서도
고통받기를 원한다.
고통보다도 영혼들을 위한 고운 희생을 하고 싶다. 살고 싶다.

God's Love

수난. 사랑. 수난. 사랑. 슬픔. 사랑. 고통. 평화.

이런 사랑이 있나…. 이런 사랑이….

시간이라는 점點

시간이 어떻게 가는 건지 모르겠네…
빠르고 느리고의 문제가 아니라
시간이 존재하지 않는 것 같은 느낌이다..

시간이라는 게 점 하나로만 존재해서
지금 이 순간에서 멈춘 것 같은 기분이다…

어느 감사한 날

온갖 좋은 것들은 다 내게 몰려오는 것 같아.
아버지가 이것도 주고 저것도 주고 마구마구 퍼주고 계셔.
가장 좋은 것들을 죄다 나에게 주지 않고는
견딜 수가 없으신가 봐.

그리스도의 얼굴

베로니카의 베일에 찍힌 그리스도의 얼굴.

벌어진 입술 사이로 보이는 피 묻은 이빨들.
타격으로 통통 부어오른 얼굴과 패인 콧등.
여기저기 뜯겨 나간 머리카락과 수염.
찢겨져 흔들리는 이마의 살들과 얼굴 전체를 뒤덮은 채 끊임없이
흘러내리는 피….

수난의 신비를 바라보며 The Mystery of the Sorrow

나는 하느님과 성모님의 고통이 얼마나 클지 느낄 수도 없고 상
상할 수도 없다. 사실 나 따위가 그런 어마한 고통을 이해할 수는
없겠지만 그래도 좀 알고 싶다고는 생각해 왔는데, 그런데 지금까
지 주님은 딱히 내게 당신의 슬픔을 이 몸과 영혼으로 제대로 알아
듣고 체감하도록 하시지는 않는 것 같다….
　때가 아닌 걸까, 아니면 정말 알도록 허락하시지 않는 걸까.
　그분은 당신 슬픔의 지독한 아름다움만을 내게 보여주셨다.

성모님도, 나는 성모님이 얼마나 슬펐을까 생각하면서 칠고 기도
의 "당신 고통 저희에게 나누어 주소서"를 읊었는데 그때마다 고통

이 아니라 확연한 위로만 받았다.

마치 부모가 힘들고 고통스러운 일들이 있을 때, 자녀들에게 그 일의 힘듦이나 당신 고통을 다 알리고 싶어 하지 않는 것처럼,
자신은 힘들면서도 자식은 위로하는 부모처럼, 아버지는 슬프실 때 내게서 침울한 그 얼굴을 슬쩍 돌리시고는 안 보여주시려는 것처럼 보인다.

나는 그분이 마음이 상하셨나 어디가 아프신가 얼마나 아프신가 생각하면서 그 얼굴을 계속 바라보고 이리저리 살펴보고 나도 그 슬픔을 좀 알 수 있게 해 달라고 하는데 어느 정도는 '보여'주시면 서도 딱히 다 드러내 보이시진 않는 것 같다.

아직 초심자인 나는 성장이 필요한 애벌레, 성숙이 필요한 어린아 이이기 때문일까… 원래 그릇이 클수록 더 고통 받게 되니까….

고통을 제대로 이해할 수도 없을 만큼 안락하고 평안하게 보살핌 받아온 이 몸뚱아리와 이 정신과 이 영혼으로는 그분의 기분을 알 수가 없어서, 그래도 알고 싶어서

성모님의 눈물방울을 쫓고
십자가의 길에 흩어진 예수님의 핏방울을 쫓고
베로니카의 베일에 찍힌 예수의, 주님의 얼굴을 보았다.

십자가 발치에 서 계신 성모님을 바라보았고
생명이 떠나가신 주님의 성시聖屍를 안고 우는 그 얼굴을 보았다.

눈을 감고 입도 다무신,
고요히 평화 속에 누우신 주님의 얼굴을 보았다.

무엇을 원해야 할지 나는 모르겠다.
아무것도 판단하지 못하는 아이처럼 서 있다.

이 신비를 알려 달라고 말해야 하나?
아니면 모르는 채로도 사랑할 수 있게 해 달라고 말해야 하나?

나는 제대로 알지도 못하면서 눈물 흘리고 있다.
저 모습이 무엇을 의미하는지 명확히 꿰뚫고 있는 것도 아닌데
울고 있다.

내 눈물은 언제나 얼마만큼의 앎과 무지의 꺼풀 아래,
깨닫지도 못했으나, 그러나 깊은 영혼의 본성 안에서 흘러나온다.

성모님의 눈물과는 감히 비교할 수 없다.
나는 참으로 보잘것없는 '인간'인 것이다.

이제는 무엇을 원해야 할지도 모를 만큼 아무것도 알 수 없게 되었다.

그래서 이제는 모든 것을 잃어버린 마음을 가지고

아무런 원도 아무런 잡음도 없이

'아무것도 없는 것' 속에서라도, 우선 아버지께 가야겠다….

기쁨에 대한 묵상: 칠락七樂

프란치스칸 묵주기도. 칠락七樂 기도. 또는 세라핌적 묵주기도…

이제야 조금은 이 기도의 특별함을 알 것 같다.

오늘 성모님의 눈물의 작은 묵주를 보고 나서 갑자기 우울해지기 시작했다. 곧 마음을 다잡고 미동 없이 견뎌내긴 했지만, 그동안 수난만을 바라보고 슬픔과 고통만을 묵상해서 그런 것 같아서, 조금은 눈을 돌릴 필요가 있음을 느꼈다.

그러다가 묵주기도 중에 수태고지受胎告知 장면의 성화를 바라보는데, 갑자기 환희의 신비 1단(Annunciation)과, 성모송의 내용과 의미가 새삼 다시 다가오면서, 칠락 기도를 하고 싶다는 생각이 들었다.

예수마리아의 슬픔에서 눈을 돌리고 싶다면,

예수마리아의 기쁨을 바라보고 함께 즐거워하고 기뻐하면 된다.

그리고 무엇보다도, 나는 견진성사, 즉 내게 오실 성령을 기다리고 있으니까 슬퍼하는 것보다도 성령 강림을 기뻐하는 기도가 어울리는 것 같다.

성령께서 가장 위대한 역사를 이루신 그 수태고지 날의 신비를 묵상하고 성령을 그토록 풍부히 받으신 어머니를 존경하고 묵상하면서 세라픽적인 인사말을 계속 들려드리는 것이다. 그리고 선물을 잔뜩 들고 오실 성령을 기다리는 내게도 풍부한 은총을 빌어주십사 청하면서-.

이제 보니 단 수가 많아서 칠락 묵주에도 사용해야지-하고 생각하고 있던 내 10단 묵주의 십자가는 프란치스코의 다미아노 십자가이다.
살 때는 아무 생각 없었는데 지금 보니 신기하다.
이건 또 꼭 칠락 기도를 위해 준비된 것 같잖아;-D!

요즘 이런저런 기도를 많이 하고 있어서 좀 벅차다고 느끼긴 하지만, 일단 노력해 봐야겠다.

Angelic salutation

천사의 인사말로 화관을 엮는 방법,
묵주기도.

어머니의 기쁨.
성령으로 예수님을 잉태하시던 수태고지, 그날에 들으신 알림과
축하, 경하의 인사말을.

예전부터 하느님은 묵주기도에서 내게 -내가 묵상하길 바라시는-
가장 중요한 신비는 환희의 신비 1단이라고 알려주셨는데,

사실 묵주기도의 성모송Hail Mary, angelic salutation은
언제나 그 역사적인 수태고지의 순간을 재현한다.

다름 아닌 환희의 신비 1단, 성령으로 예수를 잉태하시던 그날을.
예수 강생하여 사람이 되사, 성모의 태중에서부터 우리와 함께 이
세상에 존재하기 시작하시던 그날의 신비를….

아버지께서는 내게 참으로 좋은 것들을 가득 주시기로 아주 작정
을 하신 것 같다. 아무렴, 그래서 나는 정말 기쁘다. 참 좋다!

빨래를 걷으며

오늘 빨래를 걷으면서 바라본 하늘은 몹시도 쾌청하고 푸르렀다.

고개를 젖혀 바라본 시선에는 바로 얄팍해진 달이 보였는데, 정말로 달은 성모님 같았다.

태양은 때로 너무 눈 부셔서, 바라보면 눈이 멀 것 같은데. 달은 아무리 봐도 부드럽고 아름다우면서도 무리 없이 볼 수 있다. 그래서 우리는 성모님을 통해서 주님을 바라보나 보다. 참으로 아름다운 분이시다.

아, 파란 하늘의 공간은 너무도 광활해서,
나는 그를 통해 우주를 바라볼 수 있었다.

안녕 우주야, 우리 아버지의 사랑처럼 광활하고 무한하고 끊임없는 우주야!
안녕 하늘아, 우리 아버지의 생명처럼 푸르게 빛나는 하늘아!

기쁨의 눈물방울들은 언제든 나올 준비가 되어 있는 것처럼 통통 튀어나왔다.

아버지는 사랑스럽다.
티 없는 아이 같은 사랑은 행복하다.

●

성모의 티 없이 깨끗하신 성심께 나를 봉헌하자.

- 2권에 계속